Mª Isabel Sánchez Vegara

Pequeña **&GRANDE**
HARRIET TUBMAN

ilustrado por
Pili Aguado

ALBA

La pequeña Harriet nació esclava en un estado sureño.
Trabajaba de sol a sol y soñaba con no tener dueño.

Sus amos vendieron a tres de sus hermanos y les enviaron muy lejos.
Harriet se preguntaba si volverían a verse antes de hacerse viejos.

Aquella gente era cruel y trataba a los esclavos con mucha dureza.
Defendiendo a un fugitivo, Harriet acabó con un golpe en la cabeza.

Para Harriet ese golpe fue una señal del destino.
Decidió que luchar por la libertad era su único camino.

Se despidió de su familia y escapó guiada por la Estrella Polar.
Para ser libre tenía que llegar al Norte y dejar atrás aquel lugar.

Cuando llegó a Filadelfia, Harriet no se lo podía creer.
Por primera vez era libre, se sentía una nueva mujer.

Al poco, Harriet volvió al Sur
para rescatar a sus hermanos.
Y, con la ayuda de sus amigos,
salvar a más seres humanos.

Durante once años repitió aquel camino con cientos de viajeros.
Y consiguió que llegaran sanos y salvos todos sus pasajeros.

Estalló la guerra entre Norte y Sur y Harriet se alistó como cocinera.
Pero pronto se convirtió en espía y también en enfermera.

Guió tres barcos de vapor a través de ríos llenos de minas.
Salvó a setecientos esclavos y se convirtió en una heroína.

La guerra entre Norte y Sur acabó y aquello fue una gran noticia.
Millones de personas eran libres después de siglos de injusticia.

Pero Harriet pensaba que siempre se podía hacer algo más.
Y siguió defendiendo toda su vida los derechos de los demás.

Y así fue como la pequeña Harriet, esta niña tan valiente,
se convirtió en símbolo de libertad para todo un continente.

HARRIET TUBMAN

(Dorchester, 1820 -
Auburn, 9 de marzo de 1913)

Harriet Tubman fue una valiente
líder abolicionista norteamericana
nacida en la esclavitud que logró huir
a los «estados libres» del Norte.
Harriet volvió al Sur en innumerables
ocasiones y rescató a decenas de
personas, convirtiéndose en un
icono de la libertad e inspirando a
generaciones de afroamericanos en
su lucha por la igualdad y
los derechos civiles.

© Mª Isabel Sánchez Vegara, 2018

© Ilustraciones: Pili Aguado, 2018

Diseño de colección: Joel Dalmau

© de esta edición:
Alba Editorial, s.l.u.
Baixada de Sant Miquel, 1, 08002 Barcelona
www.albaeditorial.es

Primera edición: junio de 2018

ISBN: 978-84-9065-431-6
Depósito legal: B-13.323-2018
Impresión: Liberdúplex, s.l.
Ctra. BV 2241, km 7,4 Polígono Torrentfondo
08791 Sant Llorenç d'Hortons (Barcelona)

Impreso en España

Otros títulos de la colección

Pequeña **&GRANDE**

Coco Chanel

Frida Kahlo

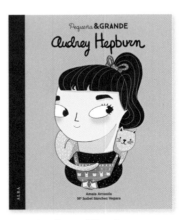

Audrey Hepburn

Amelia Earhart

Agatha Christie

Marie Curie

Ella Fitzgerald

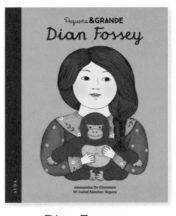

Dian Fossey

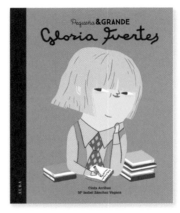

Gloria Fuertes

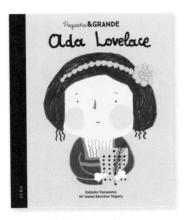

Ada Lovelace

Jane Austen

Georgia O'Keeffe

Anne Frank